CENDRILLON

Cendrillon vivait avec ses deux demi-soeurs qui la faisaient travailler très fort toute la journée.

Un jour, Cendrillon voulut aller au bal
donné par le prince. Une gentille fée
apparut comme par magie.
Elle transforma les haillons de Cendrillon
en une magnifique robe bleue et elle
lui donna des pantoufles de vair
merveilleuses.

Comme le carrosse s'en allait, la fée dit à
Cendrillon :
– Souviens-toi, la magie d'un soir disparaîtra
à minuit, dans le noir !

Le prince dansa avec Cendrillon et tomba
amoureux d'elle. Malheureusement,
Cendrillon devait partir avant minuit,
quel ennui !

Lorsque minuit sonna, elle se mit à courir, mais elle perdit une pantoufle. Le prince la trouva par hasard. Il chercha dans tout le royaume la jeune fille qui pourrait la chausser.

Finalement, le prince retrouva Cendrillon près de l'âtre et lui glissa la pantoufle au pied. Cendrillon et le prince étaient si contents qu'ils se marièrent sur-le-champ!

BLANCHE-NEIGE

Blanche-Neige était la plus jolie fille du royaume. Mais la reine, qui était jalouse de sa beauté, voulut la jeter en prison.

Elle s'enfuit chez les sept nains, au cœur de la forêt.

– Notre maison peut être ta cachette,
si tu le souhaites ! s'exclamèrent-ils.

Par malheur, la méchante reine retrouva Blanche-Neige. Déguisée en mendiante échevelée, elle donna une pomme empoisonnée à Blanche-Neige qui en prit une bouchée et tomba aussitôt endormie.

Les nains n'arrivaient pas à réveiller Blanche-Neige et ils eurent beaucoup de peine.

Ils l'installèrent dans un cercueil de verre et prièrent qu'on leur vienne en aide. Un jour, ils furent exaucés. Un beau prince arriva et, d'un baiser magique, il réveilla Blanche-Neige.

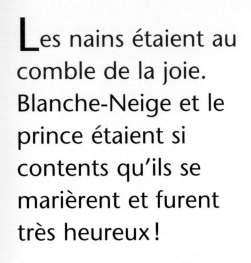

Les nains étaient au comble de la joie. Blanche-Neige et le prince étaient si contents qu'ils se marièrent et furent très heureux !